Jessica Engel
Um keines der Worte zu verlieren …

Für Tante Dore …

… mit lieben Grüßen
aus Heidelberg! :)

Jessica Engel

Jessica Engel

Um keines der Worte zu verlieren …

Gedichte

edition fischer

Bibliografische Information der Deutschen Nationalbibliothek
Die Deutsche Nationalbibliothek verzeichnet diese Publikation in
der Deutschen Nationalbibliografie; detaillierte bibliografische
Daten sind im Internet über http://dnb.d-nb.de abrufbar.

© 2015 by edition fischer GmbH
Orber Str. 30, D-60386 Frankfurt/Main
Alle Rechte vorbehalten
Titelbild: by-studio © fotolia.com
Schriftart: Bergamo 11pt
Herstellung: efc/bf
ISBN 978-3-86455-870-2

Inhalt

… über die Liebe …

Vorwort

*H*in und wieder, wenn ich etwas Schönes erlebt oder gesehen habe, möchte ich es in Worte fassen, damit ich es nicht vergesse. Auch wenn mich etwas berührt und beschäftigt, schreibe ich es auf, weil ich es dann manchmal besser verstehen kann. Dann fallen mir Gedichte ein. Ein paar Worte, um diese Momente und Gedanken festzuhalten, für die ich sehr dankbar bin.

… über das Schreiben …

Nur ein paar Worte

Am Anfang
Nur ein paar Worte
Eins um eins aneinandergereiht
Zeile um Zeile aneinandergeknüpft
Und ein guter, lieber Sinn, der alles zusammen hält
Nur ein paar Worte
Am Ende
Ein Bild und eine Botschaft

Kostbarkeiten

Ein paar haben sich zwischen den verschlungenen Ästen
der alten Bäume verfangen.
Sie haben in den späten Sonnenstrahlen aufgeblitzt,
nur so habe ich sie bemerkt.

Andere waren in den Himmel gemalt.
Blaue, weiße und rosane.
Manche weich und geschwungen,
andere hart und klar.

Einige haben sich im Gras versteckt,
an den Stellen, wo die Butterblumen und die Gänseblümchen blühen.
Die zärtlichsten hat der Wind mir zugeflüstert,
und zwei runde, glatte habe ich zwischen den Kieselsteinen
auf dem Weg gefunden.

Nun setzte ich vorsichtig Schritt für Schritt,
um keines der Worte zu verlieren.
Ich weiß, wenn ich behutsam gehe,
und mir Zeit lasse zu staunen,
werde ich keins fallen lassen
und am Ende einen Schluss finden.

Einmalig

Ich bitte, dass die Worte aus der Tiefe kommen.
Die Tiefe, die dem Dichter unbekannt, doch heilig ist.
Die Tiefe, die ein Stück vom Menschen nimmt
und ein Stück des Himmels offenbart.

Ich bitte jede Oberflächlichkeit zu entschuldigen.
Die, wie das Kräuseln einer glatten Wasserfläche,
den Blick in die gewünschte Tiefe trübt.

Doch das Wort nimmt aus der Hand des Dichters
niemals nur den Himmel,
ohne den Menschen.

... über das Erwachsenwerden ...

Ich wollte fliegen

Ich wollte doch davon fliegen,
groß, frei und herrlich.
Aber jetzt bin ich einfach aus dem Nest gefallen.
Über mir der Himmel in seinem verlockenden Blau.
Weiße, weiche Wolken ziehen Richtung Süden,
der Wind bläst sie davon.
– Unerreichbar –
Zurück bleibt ein kleiner Schmerz in den Flügeln
und das Gefühl etwas verloren zu haben.
Vielleicht die Geborgenheit weicher, warmer Federn
oder die Sicherheit der Nestwände.
Noch begreife ich nicht ganz, wie mir geschah.
Unsicherheit lässt mich bewegungslos verharren,
und voller Angst schaue ich mich um.
Dann,
ganz vorsichtig,
setzte ich einen Fuß auf den harten Boden,
stemme mich hoch,
und stelle fest –
er trägt.

Der Spiegel

Der Spiegel ist ein gläserner Betrüger.
Er täuscht den Raum und verdreht den Platz.
Er zeigt nichts neues,
wirft nur zurück, was man schon mal sah.
Er zieht Grenzen, wo es keine gibt.
Trotzdem ist er beliebt
und wird in unterschiedlichen Rahmenbedingungen gehalten.
Er ist ein Fenster im Fenster
und wäre gerne nicht blind, sondern sehend.
Doch auf seinen Grund hat noch keiner geschaut.
Er ist ein sehr oberflächlicher Bursche
und passt sich immer an.
Doch ohne ihn würden wir Menschen kopflos –
und vielleicht etwas durchsichtiger.

Gestrandet

Gestrandet, irgendwo
ans Land gespült vom Meer der Möglichkeiten.
Kraftlos und leer,
von irgendwelchen Händen ans Ufer gezerrt,
sitze ich nun
und starre in den Himmel nach meinen Träumen.
Müdigkeit und Schwere
blicken mir aus dem Grau entgegen.
Man könnte sitzen bleiben,
wäre endlich angekommen.
Doch plötzlich – Witterung aufgenommen,
zieht mich der Wind zurück ans Meer.
Und wieder kämpfe ich mich durch die Brandung.
Dies ist noch nicht meine Insel …!

Sag mir wohin

Mir ist, als hätt es über Nacht geschneit.
Ich wache auf und nichts ist mehr, wie es einmal war.
Endloses, kaltes, weißes Feld.
Alle vertrauten Formen verschwunden.
Meine Spuren zugedeckt.
Ich kann nicht mehr erkennen, woher ich gekommen bin.
Was war meine Richtung, wo war mein Ziel?
Was vor und hinter mir liegt,
verbirgt sich hinter einer fallenden, weißen Wand.
Ich weiß doch – ich stehe auf bekanntem Land.
Meinem Land.
Aber ich erkenne es nicht.
Ich stehe fest auf dem Punkt, wo ich mich gefunden habe,
und zögere, den nächsten Schritt zu tun.
Sag mir wohin.
Ich habe Angst zu erfrieren.

DAS ERGEBNIS

mich wundert nichts mehr
wenn nur noch das ergebnis zählt
wie soll man da noch den rech(t)en weg finden?

Sternenblumen

Plötzlich habe ich die Richtung geändert,
auf der Suche nach neuen Blumen unter demselben Stern.
Der Stimme der Sehnsucht zugewandt,
einen neuen Schritt gewagt,
ihr hoffnungsvoll gefolgt,
ein bisschen tiefer ins erträumte Land.
Doch nun – bewegungslos –
spüre ich im Rücken die Schatten all dessen,
was ich eben erst berühren und noch nicht begreifen konnte.
Im Dunkeln liegt es jetzt,
und die schnelle Abkehr lässt mich zweifeln.
Fast mein ich nun, die Sehnsucht ruft aus dieser Richtung.
Vor und zurück ziehts das verwirrte Herz,
und weil die Zukunft, wie das Gestern ihm unerkannt bleibt,
hilft nur eins:
Zum Stern schauen, sich bücken und ein Blümchen pflücken.

… über das Leben und die Sehnsucht …

Meer

Meer
Endlose Weite
Unergründet liegt manches Blau im Dunkel
Und mancher Widerspruch spiegelt sich auf deinem Grund
Meer
Stetiges Auf und Ab
Metapher des Lebens
Unsern Ursprung vermuten wir in deiner Kraft
Und als wir vergaßen zurückzukehren
Schenktest du uns deine Tränen
Meer
Nasser Himmel und Wasserwüste
Am Ende stürzt du den Horizont
Und ziehst ihn mit in unbekannte Tiefe
Dein Rauschen gräbt sich ein in unsere Köpfe
Im selben Muster wie die Wellen den Sand zu unseren Füßen formen
Endlos klingt es in uns nach
Und seine Echos suchen in unseren dunklen Tiefen
Das Weite …

Ein Gefühl

Ein Gefühl
So weich wie eine kleine Feder,
und so weit wie der ganze Himmel.
Ein Gefühl
So warm wie späte Sonnenstrahlen auf der Haut,
und so zart wie frischer Wind, der in den Haaren spielt.
Ein Gefühl
So leicht wie weiße Wolkenfelder auf blauem Grund,
und so verspielt wie der Tanz von alten Blättern.
Aus der Tiefe steigt es auf
und strebt dem Ruf des Vogels zu
ins weite, sanfte Blau.
Ich möchte ihn so gerne begleiten,
möchte vielmehr, dass er mich mit sich nimmt.
Ich weiß, was ich fühle, das ist altes Glück.
Die Ahnung vom Fliegen, der Drang zum Weiterziehen
und der Wunsch nach grenzenloser Freiheit.
Ein schönes Gefühl.

zauberhafte AugenBlicke

Manche Dinge schaue ich an
und sie fallen durch die Lider direkt in mein Herz.

In manchen AugenBlicken kannst du sie dort
aus der Tiefe strahlen sehen.

Heimat

Ferne Heimat.
Nahe Fremde.
Ich spüre ihre scharfen, unruhigen Augen in meinem Rücken
und ganz sacht streicheln die Flügel der Sehnsucht meine Wange.
Noch einmal flieht mein Herz
zurück an den Ort, der ihm den Rhythmus gab.

Dumpfes Warten.

Zeit, in der mich ihre Flügel sanft,
doch immer dringlicher umschlingen.
Und plötzlich kündigt der schrille Ruf,
der laut in meinem Herzen widerhallt,
den Abflug an, die endgültige Trennung.

Schwingen, die mich eben noch umfingen,
spür ich schlagen nun und aufwärts streben.
Klauen, die mich halten wollten auf dem Flug, versagen.
Und ich bleib zurück,
weil ich schwerer bin als meine Träume.

Tiefe, aber bittersüße Schwere
wandelt sich in dumpfe, schwarze Leere,
die sich pelzig auf jegliche Gedanken legt.

Alleine in der Fremde.
Selbst von der Sehnsucht jetzt verlassen,
warte ich auf eine neue Heimat.
Weil es die alte nicht mehr gibt.

Über das Ankommen

Stopp!
Stehenbleiben.
Tief durchatmen.
Die Augen schließen.
Schweigen.

Ich höre.
Ich spüre.

Einfach nur sein.
Jetzt sein.
Da sein.

Erst jetzt weiß ich, wo ich bin.
Erst jetzt bin ich da.
Erst jetzt kann ich weitergehen.
Nur so werde ich ankommen.

Fernweh

Wind, trag mich davon,
den Bergen zu,
ins unbekannte, wilde Land.
Dort lass mich fallen.
An den höchsten Felsvorsprung will ich mich klammern,
in dunklen Nächten Zeichen in den Sternenhimmel malen,
und am Tag den Flug der Wolken deuten.
Bis ich in vielen, stillen Augenblicken neue
und ungeahnte Kräfte spüre.
Dann erst will ich den Abstieg wagen
und die Reise zurück ins Altbekannte …

Für PAPA *(Jakobsweg 2007)*

Einer, der mit dir läuft,
mal voraus, mal hinterher.
Einer, der dich warnt, bevor du stolperst,
und dich festhält, wenn du auf unbekanntem Grund
ins Rutschen kommst.
Einer, der den Weg weiß und den Überblick behält.
Einer, auf den Verlass ist
und mit dem du immer irgendwo im Guten ankommst.
Einer, der dir Lasten abnehmen kann,
und einer, der sich sorgt.
Einer, der nach oben steigt und den Ausblick genießt,
aber immer versucht, dabei auch weiter zu sehen.
Einer, von dem man lernen kann.
Einer, mit dem man sich messen kann.
Einer, mit dem man gut laufen kann.
Hin und wieder.
Ein Stück Weg, das dir gut tut.
Schweigen, Reden und Laufen.
Gemeinsam, und jeder für sich.
So einer ist was Besonderes.
So einer bist du.

Gut Ding

Alles,
was gut und stark werden soll im Leben,
braucht Zeit.
Alles,
was Himmel und Erde verbinden möchte,
Höhe und Tiefe und einen sicheren Stand erreichen will,
braucht Zeit.
Oder glaubst du etwa,
Bäume werden so groß,
weil sie sich mit dem Wachsen beeilen?

Manchmal wünsche ich mir Flügel …

Manchmal wünsche ich mir Flügel,
große, starke, kraftvolle Schwingen,
aber für das Auge unsichtbar.
Dann würde ich loslaufen,
immer schneller und schneller.
Bis die Beine brennen, bis das Herz rast und der Blick sich trübt.
Und dann, wenn die anderen schon den Trostpreis zücken,
und dann, wenn ich selbst schon denke,
ich kann nicht mehr,
keinen einzigen Schritt mehr weiter.
Dann breite ich die Flügel aus,
unbändig, leicht und voller Kraft
fährt der Wind mir unter die Arme
und ich hebe ab.
Dann würde ich fliegen.
Vielleicht nur für einen Moment.
Aber da in der Luft, wäre ich ganz erfüllt von diesem Glück,
dem Wissen, ich bin nicht umsonst gelaufen,
der Gewissheit, ich kann ganz sanft und zufrieden landen,
und wenn der Wind mich nicht mehr trägt,
von neuem beginnen zu laufen.

… über die Liebe …

Hallo!

Es tut mir leid, dass ich gestern und heute so gemein war.
Ich weiß doch, dass ich dich brauche.
In Zukunft werde ich es besser machen.
Vielleicht.
Gib mir halt Zeit.
Es ist wohl mein Schicksal zu irren.
Verzeih mir,
denn nur weil ich immer wieder dieselben Fehler mache,
heißt das nicht,
dass ich es nicht besser weiß.
Ich bin schon lernfähig,
nur lern ich nichts daraus.
Das ist halt so.
Das verstehst du nicht.
Nur ich kann alles verstehen.
Also vergib mir,
wenn ich dich töte, dich ausnehme, dich lebendig begrabe.
Auch wenn ich dir die Luft zum Atmen raube,
glaube mir,
das ist nicht böse gemeint.
Und wenn ich dich fälle, dich vernichte, dich zähme
und dich vergifte.
Das mache ich doch nur, weil ich dich verstehen will.
Aber das verstehst du nicht.
Nur ich kann alles verstehen.
Ich weiß doch, dass ich dich brauche.
Und jeder Schlag gegen dich
fügt auch mir Schmerzen zu.
In meiner Liebe zu dir bin ich grausam.
Aber vielleicht verzeihst du mir doch.
Denn am Ende werde ich mich selbst zerstören.
Vielleicht ist das der Beginn einer wunderbaren Freundschaft.

Mit freundlichen Grüßen,
dein Mensch

… Wir tragen uns weiter …

Erst trugt ihr mich in euch,
jetzt trage ich euch in mir.
So kann kein Mensch der Welt verloren gehen,
denn Liebe verwandelt Menschen ineinander.

Wir tragen uns weiter,
und ich weiß nicht, wie viel von uns ewig ist,
und ob wir nur eins sind,
um wieder eins zu werden.

Wir tragen uns weiter und tauschen uns aus.
Wir wachsen und verwandeln uns.
Hülle um Hülle fällt.
Wir werden größer und kleiner,
aber wir bleiben uns verbunden.

Wir tragen uns weiter,
und ich weiß nicht, wie lange das Band ist
und wer uns alle trägt.
Aber ich hoffe, dass der Kreis sich zum Guten schließt.

Wir tragen uns weiter,
und ich sehe, wir hinterlassen Spuren.
Und ich glaube ganz fest, auf diesem Weg geht keiner verloren.

Für die Spinne

Kopfüber
über dem Abgrund
tanzt der plumpe Körper
anmutig die Bewegung allein.
Geschickt trägst du den Weg an deinen Füßen.
Mit Leichtigkeit hast du eben ein Labyrinth in den Himmel gewebt,
und es sicher an der Erde festgeknüpft.
Tödlich für alle, die sich darin verirren.
Ein Netz aus Luftbrücken
schillernd und zart
scheint es mir viel zu fein für dich.
Kopfüber
über dem Abgrund
lauert der plumpe Körper.
Du spinnst wohl,
dein Leben hängt doch am seidenen Faden!

Liebe Liebe …

Du sagst, Du hast mich lieb.
Jeden Abend.
Jeden Tag.
Das ist schön.
Das tut gut.
Aber …
Manchmal …
Ach!
Klau mein Herz, entreiß es mir!
Wirf es den Sternen zu und fang es behutsam wieder auf!
Küss mich, wirf mich zu Boden
und flieg mit mir davon!
Erober mich!
Halt mich!
Jetzt!
Ganz fest!
Ach …
Nur ein Hauch von Sternenstaub …
Manchmal.
Ich hab Dich lieb!

Was wäre …

Was wäre,
wenn ich manchmal in Gedanken mit dir gereist bin?

Was wäre,
wenn ich seitdem öfter an dich denken muss?

Was wäre,
wenn eine Nachricht von dir mir wichtig geworden ist?

Was wäre,
wenn ich manchmal sogar darauf gewartet habe?

Was wird,
wenn ich dir das nicht sage?

Was wäre,
wenn du es weißt?

Was ist
… jetzt?

Versteh mich

Ich möchte in dich dringen
– ganz behutsam –
und meine Worte in dein Herz legen.
Damit du fühlst, was ich wirklich meine.

Für meine Eltern

Engelchen, Engelchen fliiieg!
Abheben – und ein Stück des Weges in der Luft verbringen.
Ohne Widerstand.
Einfach den Boden unter den Füßen verlieren,
und lachen!
1 und 2 und 3 uund …
Himmel und Erde
im Rhythmus
und Lachen.
Noch mal!

Engelchen, Engelchen fliiieg!
Rechts und links
Händedruck,
Einverständnis.
1 und 2 und 3 uund …
Laufen und Fliegen
im Rhythmus.
Und die Hände sind immer da.
Warm und fest.
Rechts und links
Sicherheit
und Lachen.

1 und 2 und 3 uund …
Den Rhythmus vergess ich nicht.
Noch mal, Engelchen, noch mal!
Und manchmal, da flieg ich,
und dann und wann verlier ich den Boden.
Rechts und links
suchen die Hände nach Gleichgewicht,
alleine.
Aber umfallen kann ich nicht.
Weil ihr jetzt hinter mir steht.

Treffpunkt Ego

Jeder steht für sich im Mittelpunkt.
Um dem anderen wirklich nahe sein zu können,
müssen wir selber nebensächlich werden.
Und das ist gar nicht so einfach!

Für N.

Ich möchte dir etwas mitgeben,
etwas, das dich an Zuhause erinnert.
Vielleicht ein paar grüne Blätter von unserem Wald
oder ein Säckchen voll Sandsteinstaub.
Ein kleines Fläschchen Wein,
ein rotes Schächtelchen voll Spießbürgertum,
und wenn du nichts dagegen hast,
einen kleinen Kasten mit dem neusten Klatsch.
Ein Marmeladenglas voll Nadelduft
und eine alte Sage vom edlen Ritter und schönen Burgfräulein.
Und – falls ich eine Verpackung finde –
Ein kleines Stückchen Himmel über dem Trifels.
Du weißt schon, die Stelle, wo die Fahnenstange manchmal die
Wolken zu berühren scheint ...
Ein Päckchen Trostpflaster
und außerdem natürlich ein paar Worte die Mut machen.
Und solche, über die du lachen musst.
Eine Streichholzschachtel Geborgenheit
und ein Päckchen Schweigen.
Eine Stille, die Ruhe gibt und Kraft und einfach gut tut.
Zum Schluss noch eine gelbe Sammeldose für all die neuen Erfahrungen.

Ich möchte dir so gerne etwas mitgeben –
Ein Stückchen Heimat,
und einen Gedanken in Freundschaft.

Gute Reise!

Für D. (2006)

Du bist mir ins Herz gefallen,
einfach so.
Ich weiß nicht, ob es ein Blick war,
oder ein Wort, dein Lachen oder deine komische Mütze.
Vielleicht auch das Bild auf deiner alten Kommode,
von dir und dem kleinen Jungen mit den großen Augen.
Oder der eingerahmte Engel auf deiner Fensterbank,
weil es schön ist, wenn Menschen an etwas Gutes glauben …
Es könnte aber auch das Kuscheltier in der Ecke von deinem
Bett gewesen sein
(ja, das hab ich gesehen ☺),

oder die Tatsache, dass du wohl extra noch mal Staub gesaugt hast,
bevor ich gekommen bin.
Vielleicht war es auch dein fast perfekter französischer Akzent,
der mich gestern beeindruckt hat.
Wahrscheinlicher aber ist, dass es das kurze Schwarze (oder war es
doch das Lange?)
gewesen ist. ☺
Du bist mir ins Herz gefallen,
einfach so.
Gestern Abend, oder vielleicht schon mittags,
als du uns vor der Mensa so eindrucksvoll die Baumringanalyse
erläutert hast.
Du bist mir ins Herz gefallen,
ganz leise.
Ich hab es fast nicht gemerkt.
Aber jetzt muss ich ständig an dich denken
und ich wünsche dir von ganzem Herzen,
dass du immer wieder besondere Menschen und schöne Bilder
im Alltag entdeckst.
Du bist mir ins Herz gefallen,
das wollt ich dir nur sagen.
Einfach so.
Fast unbemerkt, und ich bin mir nicht sicher,
ob du geblieben bist.
Fall doch mal wieder vorbei,
wann immer du willst,
ich hätte nichts dagegen …!

Für KAI (Ein Geburtstagsgedicht für meinen Zwillingsbruder)

Ein-und-Zwanzig

21
Das ist ne schöne Zahl.
Keine runde Sache.
21
Das sind schon ein paar Jährchen.
Gedoppelt sind es Zweiundvierzig.
Durch zwei zu teilen ist sie grade nicht,
aber sie zu zweit zu teilen,
das geht gut!
Vom allerersten Anfang – gar kein Problem!
21
Aus Eins mach Zwei und gar nicht ähnlich.
Das ist schon etwas Besonderes!
21
Diese Zahl lädt einfach ein damit zu spielen.
Die Eins im Hintergrund wär manchmal gern an erster Stelle.
Doch gibt die Zwei auch Schutz,
weil man zu zweit niemals alleine ist,
wenn man in fremden Zahlenreihen landet.
Ach, Mathe ist kein leichtes Fach.
Ich neig dazu, mich zu verrechnen.
Denn Eins und Eins gibt manchmal 4,
und mit der Zwei, da kann man teilen und verdoppeln.
21
Ich bin gespannt, was das nächste Jahr hinzufügt.
Doch was es auch addiert,
ich bleib die Eins und auch die Zwei,
und bin stolz, weil das nicht jeder von sich sagen kann!
Und weil ich hier mit Mathe nicht mehr weiter komm,
beende ich das Ganze ohne Zahlen,
werde hübsch ein kleines Bild dir malen
und ende mit dem simplen Reim –
Es ist schön, deine Schwester zu sein!

Führe mich

Ich kenne mich nicht mehr aus
in meinem eigenen Herzen.
Führe mich
durch das Labyrinth der Gefühle.

Ich finde den Weg nicht,
der mich glücklich macht.
Hab mich hoffnungslos verirrt
in meinem eigenen Herzen.

Führe mich.
Alles scheint dunkel und schwer.
Ein trauriges Herz kann nicht gut lieben.
Ein schweres Herz hat keine Kraft.
Ich möchte aber stark sein,
für dich,
für mich,
für die Liebe.

Führe mich.
Du bist doch der Gott der Liebe.
Führe mich.
Liebe macht blind.
Aber man sieht doch nur mit dem Herzen gut.

Führe mich.
Gib mir ein frohes und starkes Herz,
ein Gefühl, das größer ist als die anderen
und mir die Richtung zeigt.

Führe mich – bitte.
Man sieht doch nur mit dem Herzen gut.

Erklär mir die Liebe

Was ist Liebe?
Was ist Liebe am Anfang?
Was ist Liebe am Ende?
Was kommt zuerst,
und was steht am Schluss?
Wie ist Liebe mittendrin?
Was ist Liebe nach drei Jahren?
Und nach sieben und nach zehn,
und nach Dir?
Was ist Liebe?
Erklär mir die Liebe.
Jetzt!

Wetterprognose

Gut!
Hervorragend!
Sonniges Strahlen,
gelegentlich unterbrochen von
Regentropfenküsschen und
Windstreicheln.
Gehen Sie ruhig vor die Tür morgen.
Der Frühling ist da – auch für Allergiker!

Für R.

Nähe

Es ist schön,
sich ganz nahe zu sein.
Nur den Herzschlag des anderen hören,
nur die Wärme der Nähe spüren.
Ganz aufhören zu wollen, sich finden,
und dann die Zeit an- und sich gegenseitig festhalten.

Es ist schön,
sich so nahe zu sein.
Aber dann auch wieder loslassen,
und mit der Zeit gehen
Schritt für Schritt.
Gemeinsam und jeder für sich.
Und manchmal alleine.
Denn ich weiß, dass Nähe auch Ferne braucht
und Liebe nur in der Mitte zwischen beiden wächst.

Es ist schön,
sich zu halten.
Und gut zu wissen,
dass man sich gehen lassen kann.
Weil ich weiß,
nur wer geht, kann zurück kommen,
und nur wer zurück kommt,
ist gerne da gewesen.

Ich liebe Dich –
und auf Wiedersehen!